J SPA

W9-BQW-544

Taymourian, Anahita, author, illustrator
Hay sitio para todos
32141044906307   07/21/2020

Oakland Public Library
Oakland, CA
www.oaklandlibrary.org

THE COLLECTION

Para todos en nuestra Tierra.
—*Anahita Teymorian*

Título original: *There's room for everyone*
Publicado por primera vez en Reino Unido
© Tiny Owl Publishing Ltd 2018
© del texto y las ilustraciones: Anahita Teymorian 2018

© de esta edición: Lata de Sal, 2019

www.latadesal.com
info@latadesal.com

© de la traducción: Mariola Cortés-Cros
© del diseño de la colección y la maquetación: Aresográfico
ISBN: 978-84-949926-1-2
Depósito legal: M-6215-2019
Impreso en España

Afortunadamente, en tu corazón
siempre habrá sitio para este libro.

HAY SITIO PARA TODOS

HAY SITIO PARA TODOS

Anahita Teymorian

LATA de SAL
Afortunada

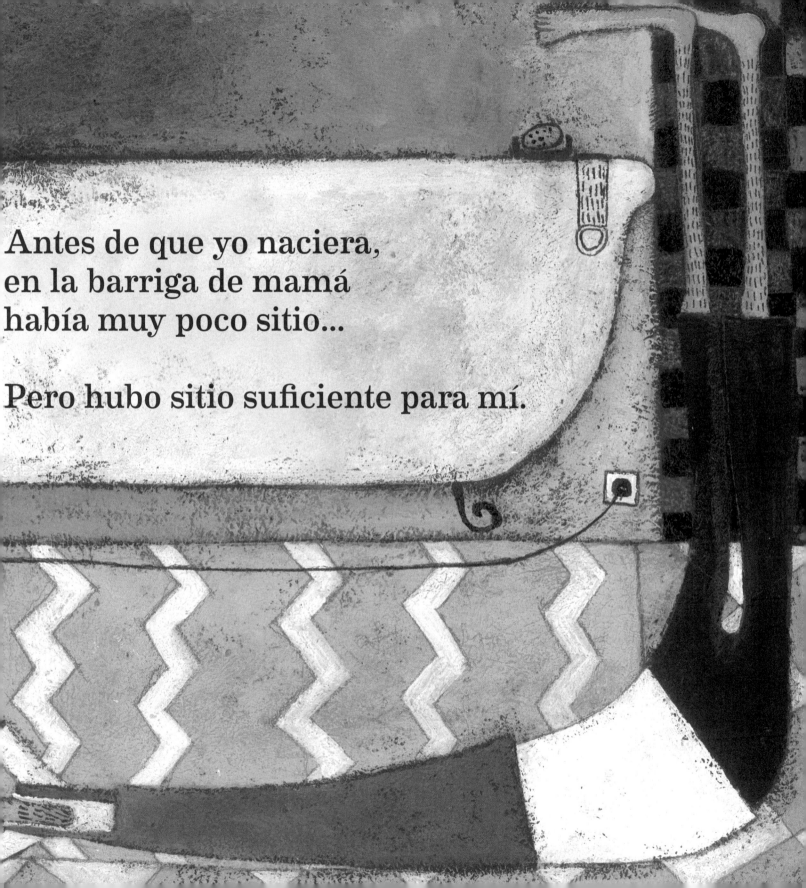

Antes de que yo naciera,
en la barriga de mamá
había muy poco sitio...

Pero hubo sitio suficiente para mí.

Según iba
creciendo,
la casa parecía
cada vez
más pequeña...

Pero hubo
sitio para
todos nosotros.

¡Había sitio hasta
para mis juguetes!

De noche, cuando miraba el cielo, veía que todas las estrellas tenían sitio de sobra. ¡Incluso la luna cabía allá arriba!

Y por las mañanas, en el jardín, veía
que había sitio para todos los pájaros.

Cuando iba a la biblioteca,
por supuesto, había sitio
para todos los libros
que quería leer.

FAUSTO

HAMLET

Don QUIJOTE

Los Miserables

AUTOCONOCIMIENTO

La DIVINA Comedia

PREOCUPADOS POR EL MUNDO

LA ODISEA · HOMERO

SOY UN HUMANO

EENCIAS

CIPITO

ORIA

NUESTRO MUNDO

Con el tiempo, me convertí en marinero y salí a explorar el mundo. Veía a diario cómo, en el mar, había sitio para todos los peces. ¡Hasta para las ballenas!

Adonde fuera,
siempre había sitio
para todos los animales.
¡Incluso para los
elefantes y las jirafas!

Pero, conforme iba viajando, me daba cuenta de que, en cualquier parte, las personas se peleaban a menudo por tener su sitio.

Sitios pequeños.

Sitios grandes...

Extraños
sitios...

Y ahora, que soy mayor y que he aprendido mucho en la vida, quiero compartir un secreto contigo.

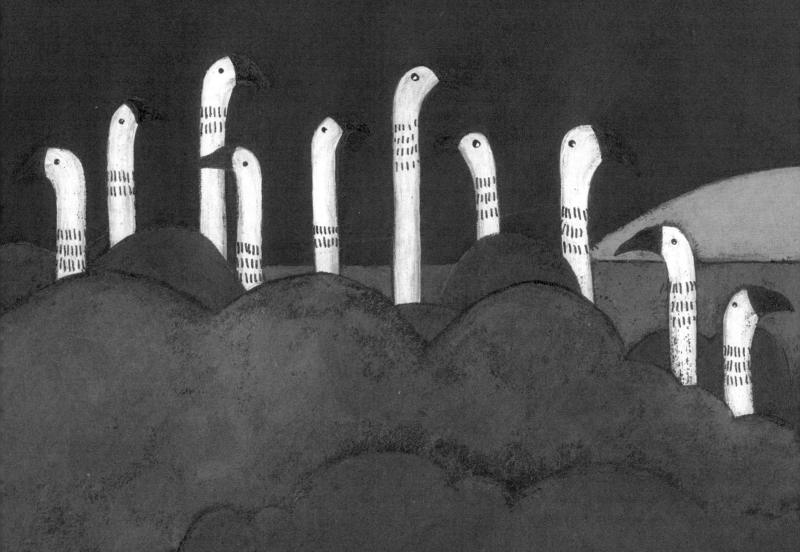

Si somos más amables y nos respetamos más
los unos a los otros, entonces descubriremos que,
en este precioso mundo nuestro...

...hay sitio para todos.

Un mensaje de Anahita

Un día, harta de todas las cosas que tenía que hacer,
me derrumbé en el sofá frente a la tele, y le di un mordisco
a mi inmenso sándwich. El sándwich era gigantesco,
pero, con cada bocado, ¡había más y más sitio
en la boca! Como siempre, las noticias de la tele mostraban
personas que luchaban unas contra otras por conseguir
un pedazo más de territorio, un trozo del planeta Tierra.
De repente, me di cuenta de que ya no tenía hambre
y dejé el sándwich en la mesa, delante de mí.

Aquella mesa estaba llena de juguetes, libros y platos. Pero, sorprendentemente,
también hubo sitio para mi sándwich. Después, como de costumbre, empecé
a discutir con la televisión. Estaba enojada con ella y con la gente que salía
en ella. «¿Por qué no paran? ¿Por qué nunca están felices? Basta de avaricia.
Solo es necesario intentarlo una vez... porque hay sitio para todos. Ahí está
el cielo, ahí está el mar, ahí está la selva. Incluso... ¡ahí está mi mesa!»

Después, me fui a mi cuarto y escribí en un papel estas cosas que había dicho.
Así fue como nació *Hay sitio para todos*. Recuerdo que esa noche, cuando
volví a descansar al sofá, la televisión seguía mostrando noticias sobre la guerra
en todas partes. Y el gato se estaba comiendo las sobras de mi sándwich.

Anahita Teymorian vive con su gato, su esposo y su hija en la ciudad de Teherán, Irán.
Los libros de Anahita son hoy muy famosos en el mundo
y su obra se ha exhibido en exposiciones de diferentes países.